DÉTECTIVE

OEIL-DE-LYNX COLIN ET ANNIE ADAM

LA RUSE
DES VOLEURS
D'ORDINATEURS

Texte : M. Masters
Illustrations : Stephen Cardot

Traduit de l'anglais par
Marie-Andrée Clermont
et Claudine Azoulay

EH **Héritage jeunesse**

TABLE DES MATIÈRES

SOLUTIONS À LIRE DANS LE MIROIR

Annie Adam   **Oeil-de-lynx Colin**

Deux jeunes détectives ou l'art de conjuger mystère et plaisir

Un reportage d'Alice Corriveau, collaboration spéciale

Deux nouveaux détectives veillent désormais sur Coteau-des-Bois : ce sont Annie Adam et Christophe Colin, alias Oeil-de-lynx, tous deux âgés de douze ans et en sixième année à l'école élémentaire locale.

Christophe Colin, le populaire détective aux yeux bleus et aux cheveux blonds mieux connu sous le sobri-quet « Oeil-de-lynx », habite au 128, allée Bellevue. « C'est parce qu'il a la manie de tout remarquer que nous l'avons baptisé ainsi, explique son père, avocat du centre-ville. Il note tout dans les moindres détails. C'est d'ailleurs le secret de sa force, comme détective. » « Oui, ça, mais également sa grande habileté à manier le crayon, ajoute sa mère, qui est agent d'immeuble. Il dessine depuis sa plus tendre enfance et ses croquis

Voir DÉTECTIVES

DÉTECTIVES suite

reflètent fidèlement tout ce qu'il voit. Soit qu'il représente les lieux d'un crime, soit qu'il croque des indices, son talent remarquable aide à la solution du problème. »

Véritable dynamo aux cheveux roux et aux yeux verts pétillants de malice, Annie Adam habite en face au 131, allée Bellevue. Championne de l'équipe d'athlétisme, elle est aussi très forte en maths. « Vite sur ses patins, vive d'intelligence et prompte à la colère, nous la décrit le professeur Théo Boyer, sourire en coin. Une fille formidable, qui n'a jamais froid aux yeux. » Elle partage avec Oeil-de-lynx sa date de naissance et sa prédilection pour les mystères. Voici son conseil:

« Si un problème paraît insoluble, il suffit de l'analyser sous un angle différent. »

« Oui, ajoute Oeil-de-lynx en sortant de sa poche le bloc à dessins et le crayon qui ne le quittent jamais. Et quand nous ne pouvons pas désenchevêtrer le crime du premier coup, je fais un dessin des lieux. Nous étudions ensuite le croquis, et nous trouvons habituellement la solution. »

Quand les jeunes détectives ne sont pas en train de jouer au soccer (Oeil-de-lynx est le capitaine de l'équipe de sixième) ou à des jeux vidéo, ils se baladent à bicyclette à travers la ville, s'assurant que partout règne la justice. Avec l'aide occasionnelle de Lucie, la soeur d'Annie, et de la chienne d'Oeil-de-lynx, une fringante retriever, les jeunes détectives ont réussi à résoudre toutes les énigmes qu'on leur a soumises jusqu'ici.

Et de quelle façon en sont-ils venus à exercer ce métier d'enquêteurs ?

Eh bien, tout a commencé l'an dernier lors d'une rencontre à l'école dans le cadre du cours de choix de carrière. C'est ce jour-là qu'ils ont rencontré le sergent Duflair, policier bien connu de Coteau-des-Bois. « Ils sont formidables tous les deux, avoue fièrement celui-ci. Nous venions à peine de nous connaître quand un professeur s'est fait voler toute une pile d'examens. Je ne parvenais pas à mettre la main sur le coupable mais il a suffi à Oeil-de-lynx de faire un de ses croquis pour qu'Annie et lui découvrent son identité tambour battant. Ces deux-là, on ne leur passe rien ! » Et il ajoute :

« Je ne sais pas comment Coteau-des-Bois pouvait se passer de leurs services autrefois. Ils ont déjà retrouvé un chien kidnappé, deux jeux vidéo volés et réglé plusieurs autres affaires difficiles. Moi-même, dès qu'un cas compliqué se présente, je n'hésite pas à faire appel à ces deux détectives hors pair. »

> ## « Ils ont retrouvé un chien kidnappé, des jeux vidéo volés et réglé plusieurs affaires difficiles. »

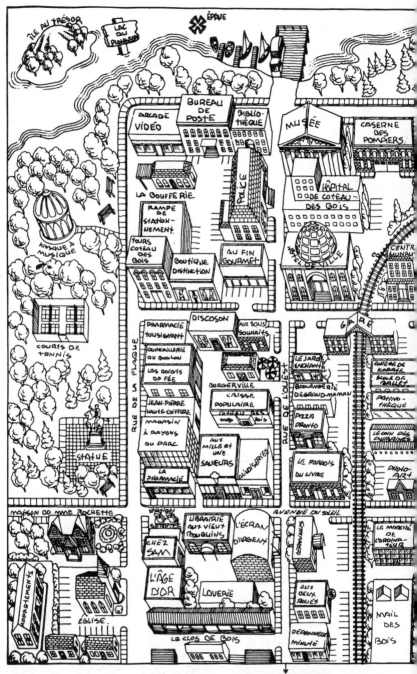

VERS SHERBROOKE 30 KM

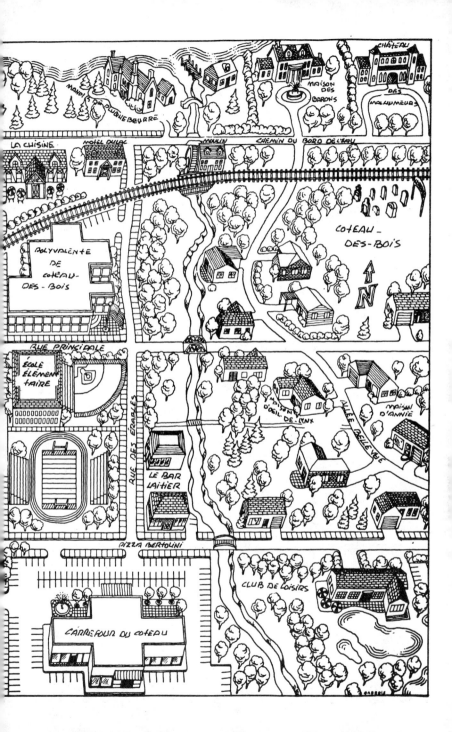

Ami lecteur, amie lectrice,

As-tu envie de résoudre ces énigmes avec nous? Eh bien, lis d'abord chaque histoire avec beaucoup d'attention; observe le comportement des personnages; note bien leur version des faits; remarque également tous les petits détails susceptibles de te mettre sur la piste, l'heure, par exemple, ou le temps qu'il fait.

Scrute ensuite minutieusement l'illustration qui fait partie de l'histoire. Avec les indices que tu y repéreras (surtout si tu as les faits bien en tête), tu devrais pouvoir trouver la solution.

Pour vérifier si tu as raison, ou si un cas particulièrement difficile te mystifie, saute à la section des solutions, à la fin du livre. Comme tu l'as sans doute remarqué, celles-ci sont écrites en caractères-miroir. Pour les déchiffrer, place-toi devant une glace. Si tu n'as pas de miroir, tu peux les lire sur le verso, en tenant les pages à la lumière. (Ou encore, fais comme nous, apprends à lire à reculons. Nous somm[es] devenus pas mal habiles dans cet art et cela nou[s] rend parfois de fiers services dans les cas qu'on nou[s] présente.)

Nous te souhaitons autant de plaisir que nous en avons eu nous-mêmes dans la solution de ces problèmes!

Œil-de-lynx et Annie

La ruse
des voleurs
d'ordinateurs

Pas question pour Oeil-de-lynx Colin de se rendre à sa leçon de piano tout de suite ! Pas après ce qu'il vient d'entendre à la radio. Au lieu de pédaler en direction de chez son professeur, il traverse donc l'allée Bellevue en roue libre jusqu'à la maison de son amie Annie Adam.

Dans la petite ville de Coteau-des-Bois, Oeil-de-lynx et Annie jouissent d'une réputation de détectives hors pair.

— Annie ! appelle-t-il tout en frappant à la porte moustiquaire. Il y a eu cambriolage au Marché de l'Ordinateur !

N'en croyant pas ses oreilles, Annie ouvre la porte d'un coup sec.

— Tu veux dire le magasin de Steve ?

— Oui, on l'a cambriolé. Je viens de l'entendre à la radio.

Bien connu de tous, Steve Michaud a ouvert un magasin d'informatique il y a deux ans, après avoir trimé dur assez longtemps pour ramasser suffisamment d'argent. C'est chez lui que la mère d'Annie a acheté son ordinateur domestique dans les tout premiers temps du Marché. Steve est très populaire auprès des jeunes puisqu'il parraine le club d'informatique « Les Puces » de l'école élémentaire de Coteau-des-Bois. Et voilà que cette guigne lui tombe dessus juste au moment où il commençait enfin à faire de bonnes affaires.

Annie secoue sa chevelure rousse.

— Allons-y ! dit-elle en filant vers l'allée où l'attend sa bicyclette.

Oeil-de-lynx se dirige également vers la sienne mais marque un temps d'arrêt.

— C'est que j'ai une leçon de piano, grommelle-t-il.

— Alors tu ne peux pas venir enquêter sur le vol ?

— C'est-à-dire que je ne devrais pas, rectifie le détective d'une voix hésitante. Mais supposons que Steve ait besoin d'aide ?

— Justement, rétorque Annie en relevant la béquille de son vélo d'un coup de pied. Je veux que ta main experte et tes yeux perçants s'occupent de ce cas. Tu as ton bloc à dessin ?

— Évidemment, je ne pars jamais sans lui, pouffe Oeil-de-lynx. Bon, alors, allons-y !

Et les deux détectives démarrent. Chemin faisant, Oeil-de-lynx rapporte à Annie ce qu'il a entendu à la radio :

— En fait, ils n'ont presque rien dit. Il y avait un reporter qui questionnait Steve à propos du cambriolage et celui-ci ne trouvait rien d'autre à répondre que : « Comment une chose pareille a-t-elle pu arriver ? » L'interviewer lui demande alors à quel moment il a découvert le cambriolage et Steve répète : « Comment une chose pareille a-t-elle pu arriver ? »

— Le pauvre journaliste n'en a pas tiré grand-chose, conclut Annie en riant.

Quelques minutes plus tard, ils arrivent au magasin et attachent leurs bicyclettes à un poteau de parcomètre.

— Regarde, indique Annie, la porte latérale donnant sur l'entrepôt est ouverte. Allons d'abord inspecter de ce côté.

Ils contournent en hâte le bâtiment pour atteindre l'entrepôt. Ils y trouvent Steve, debout au milieu d'une salle immense où s'alignent des étagères vides et où sont jetés pêle-mêle des cartons ouverts.

— Oeil-de-lynx, Annie ! s'écrie-t-il en les voyant. Comment une chose pareille a-t-elle pu arriver ?

— Qu'est-ce qui est arrivé au juste, Steve ? questionne Oeil-de-lynx en jetant un coup d'oeil alentour.

— Voilà, ils ont volé tous mes ordinateurs, se lamente le propriétaire du magasin. Un entrepôt plein, précise-t-il en montrant à grands gestes le vide autour de lui. La police vient juste de partir : il paraît que c'est un cambriolage fignolé par de vrais professionnels. À part les marques de pneus près des portes arrière, pas la moindre trace. Pas d'empreintes. Pas d'indices. Et maintenant, pas d'ordinateurs non plus ! Lorsque je suis parti hier soir, l'entrepôt était plein.

— Plein ? s'étonne Annie en balayant à son tour la salle du regard.

— À craquer, insiste Steve. Les étagères débordaient. Nous avons décroché le contrat du ministère de l'Éducation qui est en train d'installer des ordinateurs dans toutes les écoles. Et la commande au complet était ici, trois cent cinquante-six ordinateurs, avec lecteurs de disquettes, moniteurs et imprimantes. Un journaliste est même venu m'interviewer la semaine dernière à ce sujet.

Steve sort un journal de sa poche.

— Tenez, dit-il. Vous pouvez constater à quel point l'entrepôt était plein. Le journaliste a dû se jucher sur une échelle pour tout rentrer dans les photos.

— Eh bien ! En effet, c'était rempli, admet Oeil-de-lynx en examinant la photo. On peut dire que tes affaires vont bien, ou du moins, *allaient* bien !

— À quand remonte le vol ? demande Annie avec une pointe d'impatience.

— Je n'en sais rien, répond Steve avec un haussement d'épaules. Et je ne sais pas non plus comment il s'est produit. Vous voyez cette caméra de télévision en circuit fermé là-haut, dit-il en montrant un coin du plafond de l'entrepôt. Je l'ai installée voilà deux mois.

— Tu veux dire, comme système de sécurité ? questionne Oeil-de-lynx.

— Oui, elle prend des photos sans arrêt.

— Elle doit couvrir tout l'entrepôt, présume Annie. Mais qui donc regarde les images ?

— Jeff, mon gardien de nuit. Il s'assoit au bureau à l'avant du magasin, devant l'écran de contrôle. Ainsi, il ne s'éloigne pas du coffre-fort.

— La nuit du cambriolage, poursuit Steve, Jeff regardait l'écran comme d'habitude. Les étagères étaient garnies et tout semblait normal jusqu'au moment où, sans crier gare, l'écran s'est mis à montrer l'image d'un entrepôt vide. Comme si les ordinateurs s'étaient envolés en une fraction de seconde.

— La caméra s'est peut-être brisée, suggère Oeil-de-lynx.

— Ça m'étonnerait. Jeff affirme qu'elle fonctionnait très bien. Et il a également précisé qu'il ne s'était pas endormi.

— Quand a-t-il constaté que l'entrepôt était vide ? demande Annie en examinant une étagère vide pour tenter de découvrir un indice.

— Aux environs de minuit, répond le propriétaire en se frottant le front. Il a ensuite appelé la police et tout ce qu'ils ont trouvé, ce sont les traces de pneus d'un camion, là-bas, derrière. Ils ont pris des photos, mais bien sûr, ils soupçonnent Jeff de mentir.

— Et toi, qu'en penses-tu ? demande Annie.

— Jeff a toujours été un employé exemplaire, digne de confiance, répond Steve. Je sais qu'il a eu des problèmes d'argent récemment, mais ça ne lui ressemble pas du tout de voler.

Oeil-de-lynx se rend au fond de l'entrepôt et vérifie les portes par où s'effectuent les livraisons.

— C'est par ici qu'ils sont entrés ? demande-t-il.

— Apparemment, oui, répond Steve avec un profond soupir. Ils ont forcé la serrure.

Adossé au mur, Oeil-de-lynx scrute de ses yeux bleus perçants tout ce qui l'entoure. Puis, sortant de sa poche de jean son crayon et son bloc à dessins, il se met à l'oeuvre : d'un trait sûr et rapide, il croque les alentours de l'aire de déchargement. C'est souvent en dessinant ainsi que le jeune détective découvre des détails servant d'indices à la solution d'une intrigue.

Restée de l'autre côté de la salle, Annie interroge Steve :

— Est-ce que tu soupçonnes quelqu'un ?

— Peut-être Samuel Flamand, répond-il après un moment de réflexion. C'est le propriétaire du plus grand magasin d'ordinateurs de Sherbrooke. Il aurait bien voulu obtenir le contrat pour les ordinateurs des écoles, mais c'est nous qui l'avons eu. Je ne pense pas qu'il irait jusqu'à risquer un tel coup, cependant.

— D'autres suspects ? insiste Annie, avide de connaître l'affaire dans ses moindres détails.

— La police a parlé d'un réseau de voleurs qui opèrent dans la région. Je suppose qu'ils s'intéressent surtout au matériel électronique.

Hochant la tête en signe de désespoir, Steve se tourne vers Oeil-de-lynx et Annie et répète pour la énième fois :

— Comment une chose pareille a-t-elle pu arriver ?

— Je ne sais pas encore, lui répond Oeil-de-lynx, occupé à croquer la scène.

— Si seulement nous pouvions découvrir des indices, quelque chose, ajoute sa collègue.

Tandis qu'Annie arpente l'entrepôt vide en quête d'indices, Oeil-de-lynx achève son dessin. Puis il l'examine attentivement, certain que quelque chose va lui indiquer comment on a volé les ordinateurs.

— Mais bien sûr ! s'écrie-t-il soudain en faisant claquer ses doigts.

— Qu'est-ce qu'il y a ? demande Annie avec un regard d'espoir. Tu as trouvé quelque chose ?

— Et comment ! Non seulement je sais comment les voleurs s'y sont pris, mais je crois aussi connaître celui qui a machiné tout ça !

D'un trait sûr et rapide, Oeil-de-lynx croque les environs de l'aire de déchargement.

COMMENT DONC UNE CHOSE PAREILLE A-T-ELLE PU ARRIVER ? ET QUI EST COUPA-BLE ?

Le secret
de la broche
en émeraudes

— Tu ne trouves pas ce jeu de la Destruction des monstres extra-terrestres formidable, Annie ? demande Oeil-de-lynx à son amie.

Assis en tailleur dans le salon d'Oeil-de-lynx, ils s'acharnent tous les deux sur le jeu qu'ils viennent de recevoir pour avoir aidé à éclaircir le cambriolage du Marché de l'Ordinateur.

— Oui, mais n'oublie pas que tu dois battre mon score, répond Annie, ses yeux verts pétillant de malice.

— Rien de plus simple, affirme Oeil-de-lynx en manoeuvrant la commande. Hé ! T'as vu ça ? J'ai eu deux monstres avec un seul rayon spatial !

Ce talent qui fait d'Oeil-de-lynx un artiste du dessin lui permet aussi d'accomplir des choses extraordinaires avec les jeux électroniques.

La sonnerie du téléphone interrompt ses efforts.

— Oh, zut ! jure-t-il en se levant et en tendant la commande à son amie. Tiens, chef, tu prends la relève.

Après une courte conversation, il revient au salon en courant.

— Annie ! Nous avons une affaire à régler, annonce-t-il tout en saisissant son coupe-vent posé sur une chaise. C'était une des soeurs Masson. Elles ont un petit problème et Madame de Pluquebeurre leur a parlé de nous.

— Dommage ! remarque Annie en se levant. J'étais sur le point de détruire toute la planète des monstres. Mais le devoir nous appelle !

Ils se précipitent dehors et enfourchent leurs vélos. Dix minutes plus tard, ils arrivent au manoir des Masson, situé non loin du domaine de Pluquebeurre. Il s'agit d'une grosse maison de brique rouge flanquée d'une pelouse impeccable et d'un immense jardin regorgeant de fleurs.

Au moment où ils descendent de leur bicyclette, l'imposante porte en bois sculpté s'ouvre et une charmante dame aux cheveux blancs les accueille :

— Bonjour, les enfants. Je m'appelle Agnès Masson. Entrez, je vous prie.

— Merci, je suis Oeil-de-lynx Colin.

— Et moi, Annie Adam.

Agnès les conduit dans la maison sombre aux parquets recouverts de tapis d'Orient. Sur ces entrefaites, une autre dame aux cheveux blancs descend le large escalier et demande :

— Agnès, qui est là ?

— Nos jeunes détectives, répond sa soeur. Je vais te les présenter. Oeil-de-lynx, Annie, ma soeur, mademoiselle Anne Masson.

— Bonjour, mademoiselle Masson, saluent Oeil-de-lynx et Annie en choeur en échangeant un clin d'oeil et un sourire.

Anne se dirige tout droit vers Annie.

— Annie, je dois dire que tu as de très beaux cheveux roux. Les miens étaient de la même couleur autrefois, n'est-ce pas, Agnès ?

— Oui, c'est vrai. Mon Dieu que tu étais belle ! Tu te rappelles, maman te faisait des tresses tout comme celles d'Annie ?

— Hum, j'avais cru comprendre que vous aviez un problème, intervient Oeil-de-lynx.

— Oui, bien sûr, passons aux choses sérieuses, répond Agnès. Ce matin, Anne et moi étions en train de faire l'inventaire du coffre de maman. Oui, elle vient de mourir.

— Mais elle avait cent trois ans, vous savez, précise Anne.

— En tout cas, poursuit Agnès, en triant ses affaires, nous avons trouvé une adorable broche en émeraudes.

Tout en parlant, elle se dirige vers une desserte d'où elle prend un petit écrin de velours noir. Elle l'ouvre et en montre le contenu aux deux jeunes détectives.

— Oh ! Quelle superbe broche ! s'exclame Annie.

— Impressionnante, en effet, renchérit Oeil-de-lynx. Avec la quantité de petites émeraudes qu'il y a dessus. D'où l'avez-vous eue ?

— C'est là qu'est notre problème, explique Agnès avec un sourire forcé. Nous sommes d'accord que c'est un cadeau de notre mère. Mais alors que moi, je suis sûre de l'avoir reçue pour mes treize ans, Anne pense que c'est à elle que maman l'a offerte.

— C'est vrai, Agnès, insiste Anne avec un hochement de tête. Elle m'a donné la broche et à toi, le médaillon gravé en forme de coeur.

— Non, Anne, le médaillon, c'était à l'occasion de mes dix-sept ans. Je l'ai même porté au bal de graduation et Maurice Bénard était mon cavalier.

— Maurice Bénard, répète Anne d'un ton rêveur. Comme il était beau. Et tu sais, Agnès, il t'adorait, vraiment. Sans l'ombre d'un doute. Vous savez qu'elle était la fille la plus populaire de la classe, précise-t-elle à l'intention des jeunes détectives.

— Ma chère Anne, je suis sûre que ces histoires ne les intéressent pas, observe une Agnès rouge comme une tomate.

— Oui, mais c'est vrai, insiste Anne.

— Vous dites toutes les deux que cette broche était un cadeau de votre mère pour vos treize ans, c'est bien cela ? demande Annie pour en revenir au fait.

Les deux femmes acquiescent de la tête et Annie reprend :

— Pourrais-je la revoir ?

— Bien sûr, répond Agnès en tendant l'écrin à Annie. Pensez-vous que vous allez pouvoir nous aider ?

Annie tourne et retourne la petite boîte dans ses mains, l'examine attentivement puis, avec un sourire, demande à son ami :

— Oeil-de-lynx, pourrais-tu faire un croquis de cette broche ? Je crois savoir à qui elle appartient.

Perplexe, Oeil-de-lynx sort son bloc à dessins de sa poche et reproduit la broche en moins de deux.

— Ça alors ! s'extasie Agnès pendant qu'il dessine. Tu n'aimerais pas avoir un don aussi extraordinaire, Anne ?

— Oui, en effet, répond cette dernière d'un air songeur.

Une fois le dessin terminé, Annie prend le bloc des mains de son ami et se tourne vers les soeurs Masson, sourire aux lèvres.

— Je crois que vous serez d'accord avec moi pour dire que votre mère a indiqué très clairement à qui appartient la broche, conclut-elle en tournant le dessin d'Oeil-de-lynx vers les deux vieilles demoiselles.

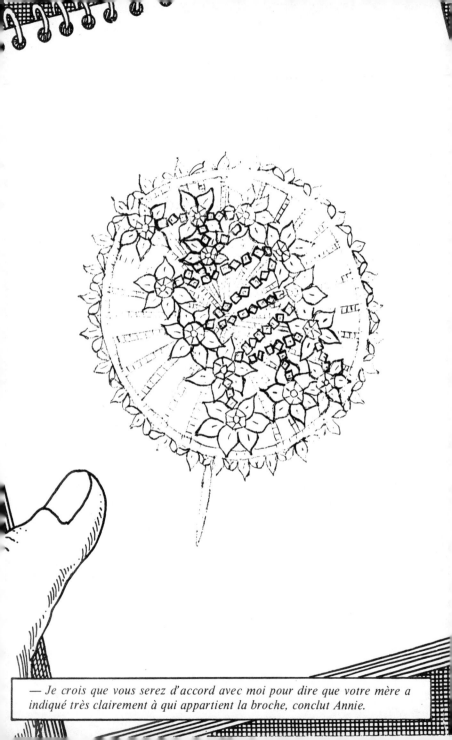

— *Je crois que vous serez d'accord avec moi pour dire que votre mère a indiqué très clairement à qui appartient la broche, conclut Annie.*

À LAQUELLE DES DEUX SOEURS APPAR-
TIENT LA BROCHE ?

Le vol
de disques
nouvelle vague

— Quel premier ministre canadien très connu consultait les esprits avant de prendre une décision importante ? questionne Annie, le nez dans son livre d'histoire.

La jeune détective est assise sur le balcon à l'arrière de la maison d'Oeil-de-lynx, les pieds nonchalamment posés sur la balustrade.

— Mackenzie King, voyons ! répond Oeil-de-lynx en lui passant le sac de croustilles de maïs; allons donc, monsieur Boyer ne posera pas une question pareille. Je veux dire...

La voix de son père l'interrompt, venant de la maison :

— Oeil-de-lynx, téléphone !

Oeil-de-lynx se précipite à l'intérieur tandis qu'Annie feuillette négligemment son livre d'histoire. La Fouine, la retriever blonde d'Oeil-de-lynx, s'approche de la jeune fille et, les yeux rivés sur le sac de croustilles, jappe deux fois.

— J'ai compris, La Fouine, fais la belle !

À cet ordre, La Fouine dresse les oreilles, puis elle s'assoit sur son arrière-train et lève les pattes de devant.

— Bravo ! Eh bien, cela te mérite trois croustilles, estime Annie en les lançant une à une à la chienne qui les rattrape au vol.

Un instant plus tard, Oeil-de-lynx surgit de la porte arrière, sa veste de soccer à la main.

— C'était Thérèse qui appelait du magasin de disques. On lui a volé toute sa livraison de disques nouvelle vague, tous jusqu'au dernier.

Le magasin Discoson est un des lieux de prédilection d'Oeil-de-lynx et d'Annie. Et ils aiment bien Thérèse, également, cette jeune gérante qui laisse flâner les enfants pendant des heures à regarder les pochettes des disques les plus récents.

— Allons-y ! lance Annie en fermant son livre d'un coup sec.

— La Fouine, tu restes ici, ordonne Oeil-de-lynx à sa chienne qui les regarde partir, la queue frétillante, une lueur d'espoir dans le regard.

Tout en allant chercher leurs vélos, Oeil-de-lynx explique à son amie :

— Thérèse croit que ça doit être quelqu'un qui avait les clés puisqu'il n'y a pas eu d'effraction. Mais elle n'arrive pas à comprendre comment on a pu entrer sans que l'alarme se déclenche. Le sergent Duflair s'est déjà rendu sur place mais il a dit, en partant, qu'il n'était pas sûr de pouvoir trouver quelque chose.

Le sergent Duflair est l'un des six agents de police de Coteau-des-Bois. C'est un bon policier mais un détective médiocre. Il s'est donc vite lié d'amitié avec Oeil-de-lynx et Annie qui l'ont déjà aidé à régler de nombreuses affaires.

Enfourchant leurs bicyclettes, les deux copains dégringolent l'allée et foncent à toute allure en direction du magasin.

Une dizaine de minutes plus tard, les voilà qui filent sur la rue Principale, fourmillante de gens occupés à leur magasinage du samedi. Arrivés à proximité de la boutique, ils attachent leurs bicyclettes à un parcomètre et se précipitent vers la porte.

— Hé ! s'exclame Oeil-de-lynx en essayant en vain de l'ouvrir. Le magasin est fermé.

— Voilà qui est curieux, remarque Annie, les yeux sur sa montre. Il est pourtant midi.

Un instant plus tard, Thérèse vient leur ouvrir.

— Excusez-moi, les amis, dit-elle en les faisant entrer. J'étais tellement bouleversée ce matin que j'ai préféré ne pas ouvrir.

Elle s'empresse de verrouiller derrière eux.

— Quelle déveine ! sympathise Oeil-de-lynx, déjà à l'affût d'indices dans le magasin.

— Ça c'est vrai, renchérit Annie. On t'a raflé combien de disques ?

— Tout un arrivage, répond Thérèse en replaçant ses cheveux derrière ses oreilles et en désignant l'avant du magasin. J'avais loué ces mannequins — ils sont chouettes, non ? — pour faire une grande vente de disques nouvelle vague. Je voulais les habiller à la mode nouvelle vague et les mettre dans la vitrine.

— Quelle bonne idée ! commente Annie.

Oeil-de-lynx se dirige vers l'avant du magasin et, tout en prenant le bras d'un mannequin, il s'enquiert :

— Des suspects ?

— Quelques-uns, avoue Thérèse avec un haussement d'épaules. Je crains que ce ne soit un coup de Jean-François ou de Bernard. Vous savez, les gars qui travaillent ici. Ils ont chacun une clé et je sais que Bernard avait besoin d'argent. Oh ! là là ! je ne veux pas le croire capable de faire une chose pareille...

— Et l'autre type, Jean-François ? intervient Annie. Il travaille toujours ici ?

— Oui, mais il est retenu chez lui par la grippe, répond Thérèse. Remarquez, ajoute-t-elle après un moment de réflexion, ce n'est peut-être qu'un alibi. D'ailleurs, ça fait un an qu'il parle de partir.

— Je me demande pourquoi on voudrait quitter un emploi comme celui-ci ? ajoute Annie en fouillant dans un carton plein de mini-jupes. Ça doit être plutôt agréable de travailler ici. On peut écouter la musique de tous les nouveaux groupes, et bénéficier de remises sur le prix des disques.

— C'est-à-dire que Jean-François ne s'entend pas trop bien avec une bonne partie de la clientèle, explique la jeune gérante avec un soupir. Il n'aime pas beaucoup la musique nouvelle vague.

— Ça, c'est vrai, confirme Oeil-de-lynx en se retournant. La semaine dernière, je lui ai demandé où se trouvait le dernier album du groupe australien, *Men at Work*. Il m'a répondu de regarder dans la bouche d'égout !

Cette boutade a l'heur de faire sourire Thérèse. Annie, pour sa part, rit à gorge déployée et tombe par mégarde sur un des mannequins dont la tête oscille quelques secondes avant de se détacher.

— Oh, pardon ! s'exclame la jeune détective en tournant sur elle-même pour l'attraper au vol. Tout en essayant tant bien que mal de la replacer sur le mannequin, elle revient au coeur du sujet et demande :

— Est-ce que quelqu'un d'autre a les clés de la boutique ?

— Personne, sauf le préposé à l'entretien, répond Thérèse. Il s'occupe de tous les magasins de la rue Principale, et justement, il est venu hier nettoyer les vitres et changer des ampoules au plafond. C'est lui qui a accroché les ballons pour la vente.

— Et l'alarme ? Tu es sûre qu'elle était réglée ? questionne Oeil-de-lynx en vérifiant la sonnerie placée au-dessus de la porte d'entrée.

— Ouais, j'en suis à peu près certaine, soupire Thérèse. Elle est automatique. Elle est programmée pour se mettre en marche automatiquement après huit heures du soir quand je ferme. Je la débranche le matin avec une clé spéciale que je suis la seule à avoir.

— Donc, personne n'a pu débrancher l'alarme et la remettre en marche ? insiste Oeil-de-lynx en sortant son bloc à dessins de sa poche.

— Non, c'est moi qui suis partie la dernière hier soir, répond la gérante. Et quand je suis rentrée ce matin, l'alarme était encore branchée.

— Je me demande ce que l'on peut faire d'une livraison entière de disques nouvelle vague, se demande soudain Annie.

— Les vendre, sans doute, répond Thérèse. Il y a un marché important pour les disques en vogue et

— *Thérèse, je crois qu'Annie vient de comprendre pourquoi ton alarme ne s'est pas déclenchée, déclare Oeil-de-lynx.*

on peut faire beaucoup d'argent, même en les vendant la moitié du prix que nous demandons ici.

— C'est possible, commente Annie d'un air pensif. Hé, Oeil-de-lynx, si on examinait ça de plus près ?

Oeil-de-lynx passe la réserve et la porte arrière au peigne fin tandis qu'Annie, à genoux derrière le comptoir, étudie l'installation électrique de l'alarme.

Oeil-de-lynx se met ensuite à dessiner l'avant du magasin. Annie et Thérèse le rejoignent et le regardent terminer son croquis.

— Sais-tu que tu es drôlement bon, Oeil-de-lynx, commente la jeune gérante. Ça ressemble exactement au magasin.

Un éclair illumine soudain les yeux verts d'Annie.

— Regardez ça ! s'exclame-t-elle en indiquant le dessin du doigt.

— Thérèse, je crois qu'Annie vient de comprendre pourquoi ton alarme ne s'est pas déclenchée, déclare Oeil-de-lynx.

— Oui, et il semble bien qu'un seul des suspects ait pu commettre le crime, conclut la jeune détective.

QUI A VOLÉ LES DISQUES NOUVELLE VAGUE ?

L'escroquerie du Michel-Ange

Quelques secondes après la sonnerie du téléphone, Annie entend sa jeune soeur de six ans, Lucie, crier du salon :

— F'est un té-lé-phone pour toi, Annie ! Té-lé-phone ! TÉ-LÉ-PHONE !

— Ça va, Lucie, j'ai compris ! hurle Annie depuis l'autre pièce. C'est juste le téléphone, pas une catastrophe naturelle !

— Alors, pourquoi que tu réponds pas ?

Annie lève les yeux au ciel et se dirige vers le téléphone. À son « Allô ? », une voix répond :

— Bonjour Annie. C'est madame de Pluque-beurre.

Cette dame est la personne la plus riche de Coteau-des-Bois. Oeil-de-lynx et Annie l'ont aidée à résoudre de nombreuses énigmes et tous les trois sont devenus de bons amis.

— Ah, bonjour ! répond Annie.

— Ta jeune soeur fera sans doute une excellente chanteuse d'opéra.

— Oui, ou alors un arbitre de baseball sans dents de devant. Comment allez-vous ?

— Bien, merci, mais en vérité, il m'est arrivé quelque chose de terrible et j'ai besoin de votre aide. Pourriez-vous venir tout de suite, toi et Oeil-de-lynx ? Je peux vous envoyer ma limousine.

— Bien sûr que nous allons venir, madame de Pluquebeurre, mais ne dérangez pas votre chauffeur. Je vais chercher Oeil-de-lynx et nous accourons à bicyclette. À tout de suite.

Annie raccroche, met ses espadrilles et se précipite chez Oeil-de-lynx.

Lorsqu'ils arrivent chez madame de Pluquebeurre quelques minutes plus tard, la dame aux cheveux argentés les attend sur le perron de l'imposant manoir construit par son arrière-grand-père, un industriel du bois, à l'endroit même où l'Anse-au-Moulin prend sa source dans le lac du Plongeon, non loin de la scierie.

— Eh bien, c'est ce que j'appelle vite, fait remarquer madame de Pluquebeurre en faisant tourner nerveusement un gros bracelet en or autour de son poignet.

— Oeil-de-lynx était juste en train de pratiquer son piano, précise Annie en descendant de vélo.

— Et nous avons pédalé aussi vite que nous avons pu, ajoute Oeil-de-lynx en posant sa dix-vitesses contre un arbre. Que s'est-il passé ?

— Je crains d'avoir été bien sotte cette fois-ci, avoue la vieille dame avec un hochement de tête, et j'ai vraiment besoin de vos lumières. La police mène son enquête, bien sûr, mais vous deux m'avez déjà si souvent aidée.

Se retournant, elle les entraîne à l'intérieur de la maison en leur expliquant :

— On pourrait dire, en quelque sorte, que j'ai été escroquée.

— Escroquée ? répète Annie, les yeux écarquillés. Comment cela ? Qu'est-il arrivé ? Vous allez tout nous raconter, en commençant par le commencement.

— Eh bien voilà : au cours de mon voyage en Italie, le mois dernier, j'ai acheté un dessin d'une assez grande valeur. Il s'agit d'une page du carnet à dessins de Michel-Ange.

Les yeux d'Annie s'écarquillent de nouveau et se tournent vers Oeil-de-lynx qui émet un léger sifflement en signe d'incrédulité.

— Je ne savais pas qu'on pouvait acheter des choses pareilles, remarque-t-il.

— Bien sûr que si, lui assure madame de Pluque-berre. Maintenant, venez. J'ai demandé à ma cuisinière de vous préparer un petit quelque chose que vous grignoterez pendant que je vous raconterai ma mésaventure.

De couloir en couloir, la vieille dame conduit les jeunes détectives jusqu'au salon privé où tous les trois s'assoient devant les immenses fenêtres donnant sur les jardins.

— Je voulais évidemment faire encadrer cette oeuvre, commence l'hôtesse. Je me suis donc adressée à la galerie Artplus. C'est la meilleure boutique d'art en ville et ils avaient un cadre en bois de rose de toute beauté.

Quelques coups à la porte interrompent son récit. Le majordome entre, portant à la main un plateau d'argent chargé d'une tasse, d'une soucoupe, d'une théière, de verres de lait et de biscuits au chocolat et aux noix.

— Merci, Henri, posez-le sur la table.

— Bien, madame.

Tout en savourant les biscuits, une spécialité des cuisines de Pluquebeurre, Oeil-de-lynx et Annie écoutent la suite de l'histoire.

— Donc, deux hommes sont venus aujourd'hui dans une fourgonnette rouge qui portait l'inscription « Artplus » en lettres dorées. Ils ont pris le dessin avec beaucoup de délicatesse, ce qui m'a fait plaisir, vous pensez bien.

Madame de Pluquebeurre fait une pause, se sert une tasse de thé et poursuit :

— Mais après leur départ, j'ai repensé au cadre en bois de rose. Bien qu'il soit très beau, j'ai changé d'avis et j'ai pensé que pour un dessin authentique de Michel-Ange, il faut un cadre en or. Ne trouves-tu pas ? demande-t-elle en s'adressant à Annie.

— Euh, oui, bien sûr, répond Annie.

— Pourquoi pas ? ajoute Oeil-de-lynx avec un haussement d'épaules.

— J'ai donc rappelé chez Artplus, reprend-elle après avoir bu une gorgée, et je leur ai dit de changer ma commande. Mais ils m'ont répondu que leur camion n'avait pas encore quitté les lieux, et ils ont même ajouté que toutes leurs fourgonnettes sont bleues et non pas rouges ! Et pour couronner le tout, ils m'ont dit qu'ils avaient justement congédié, ce matin, l'employé qui devait venir chercher mon dessin. Il faut croire qu'il s'est trouvé un ami pour l'aider à commettre ce vol.

— C'est vraiment affreux, commente Annie.

— Oui, c'est révoltant, n'est-ce pas ? continue madame de Pluquebeurre en se tordant les mains de désespoir.

Puis elle se lève et commence à arpenter la pièce.

— Que vais-je faire ? Le sergent Duflair et ses hommes font bien ce qu'ils peuvent, mais...

— Ne vous inquiétez pas, madame de Pluquebeurre, nous allons essayer de le retrouver, la rassure Annie.

— Quand tout cela est-il arrivé ? questionne Oeil-de-lynx. À quelle heure la fourgonnette est-elle partie d'ici ?

— Il y a environ une heure. Le sergent Duflair est déjà venu et la police recherche la fourgonnette.

— Avez-vous remarqué quelque chose de bizarre sur les hommes ou sur le véhicule ? s'enquiert Annie.

— Non, répond madame de Pluquebeurre d'un ton désolé. Malheureusement, je n'ai rien d'une détective.

— Allons-y, Oeil-de-lynx, propose Annie en se levant d'un bond.

— Oui, j'arrive, répond Oeil-de-lynx en engouffrant sa dernière bouchée de biscuit au chocolat. Nous pouvons peut-être les retrouver.

— Ce serait vraiment merveilleux, s'emballe madame de Pluquebeurre en les raccompagnant dehors. Mais, s'il vous plaît, soyez très prudents. Si vous remarquez quoi que ce soit, appelez tout de suite le sergent Duflair et laissez-le s'occuper de l'affaire.

Oeil-de-lynx et Annie traversent l'allée en trombe. À peine ont-ils passé le portail de pierre du domaine de Pluquebeurre et atteint la rue qu'Oeil-de-lynx remarque quelque chose au loin.

— Regarde ! Une fourgonnette rouge ! s'écrie-t-il.

Courbés sur leur guidon, ils pédalent de plus belle pour ne pas perdre de vue le véhicule. Celui-ci prend de la vitesse, tourne à gauche, puis à droite.

— On le perd ! hurle Annie.

— Par ici ! Ça mène au centre-ville ! hurle à son tour Oeil-de-lynx.

Les jeunes détectives ont beau y aller de toute la force de leurs muscles malgré leur essoufflement, la fourgonnette leur échappe dans un tournant.

— Je crois qu'elle est entrée dans cette ruelle ! crie Annie en prenant la tête.

Elle roule à toute vitesse et arrive, bonne première, à la ruelle dans laquelle elle s'engage à fond de train.

— Attention ! crie Oeil-de-lynx en freinant sec.

La fourgonnette rouge est là, au beau milieu de la ruelle. Un homme en sort quelque chose par la porte arrière. Mais, emportée par son élan, Annie ne peut plus s'arrêter. Elle tente d'appliquer les freins, mais sa bicyclette dérape et la voilà qui glisse en direction de l'homme.

— Oh, non ! gémit-elle.

L'homme se retourne, un cageot dans les bras, et fige sur place en voyant la jeune détective projetée vers lui. Du coup, il en échappe son cageot dont le contenu se déverse sur Annie.

L'homme regarde fixement Annie et s'apprête à l'empoigner lorsque celle-ci, terrifiée, lève la tête pour voir ce qu'il a renversé sur elle.

— Eurk ! Des brocolis !

L'homme l'aide à se relever, ramasse la cageot et extirpe la bicyclette du tas de légumes.

— Alors, Annie, rien de cassé ? s'informe-t-il, plein de sollicitude.

Il s'agit du cultivateur qui approvisionne en légumes frais les restaurants de la ville.

— Ça va, monsieur Benoit, soupire-t-elle en retirant des trognons de brocolis de sa chevelure rousse. Je suis désolée.

Oeil-de-lynx reste d'abord sans voix, étouffé de rire. Puis il pose sa bicyclette, s'approche d'Annie et finit par dire entre deux gloussements :

— Des broc... brocolis ! Tes légumes préférés !

Annie ne trouve pas ça drôle du tout.

— Ouais, et je vais avoir cette senteur dans le nez toute la journée, grogne-t-elle.

Ils aident monsieur Benoit à nettoyer la place, s'excusent encore une fois et repartent. Annie ne peut pas s'empêcher de grommeler :

— J'ai des petits grains de brocolis partout !

Ils parcourent toute la ville, rue après rue, mais en vain. Puis, au bout de plusieurs heures de recherches infructueuses, Oeil-de-lynx repère enfin quelque chose dans une rue étroite, bordée d'arbres.

— Il y a quelque chose de rouge là-bas ! s'écrie-t-il.

Empruntant un raccourci, ils descendent doucement en roue libre. En négociant un virage, ils dépassent une fourgonnette rouge portant l'inscription : « PÂTISSERIE LA CHARTREUSE », peinte sur le côté. Le véhicule est stationné devant une vieille bâtisse.

— Pas de chance ! dit Annie. Ce n'est pas non plus la bonne fourgonnette.

Déçus, ils s'arrêtent un moment pour décider quoi faire. Oeil-de-lynx sort son bloc à dessins de sa poche.

— Tu sais, madame de Pluquebeurre ne nous a pas donné une description très précise de la fourgonnette. Si je lui montrais un croquis de celle-ci, elle pourrait au moins nous dire si nous cherchons le bon type de véhicule.

— D'accord, acquiesce Annie d'un ton las, en s'assoyant dans l'herbe.

Oeil-de-lynx s'installe à côté d'elle et commence à dessiner la fourgonnette de la PÂTISSERIE LA CHARTREUSE. Il reproduit avec soin les pneus, le rétroviseur extérieur et même l'antenne, en espérant qu'un de ces détails allume une étincelle dans la mémoire de madame de Pluquebeurre.

Annie se penche sur l'épaule d'Oeil-de-lynx pour étudier son dessin. Elle donne soudain un coup de poing à son ami.

— Ça alors ! murmure-t-elle tout excitée. Oeil-de-lynx, je sais où est le dessin de Michel-Ange.

Oeil-de-lynx et Annie dépassent une fourgonnette rouge portant l'inscription : « PÂTISSERIE LA CHARTREUSE », peinte sur le côté.

OÙ SE TROUVE LE DESSIN DE MICHEL-ANGE ET COMMENT ANNIE LE SAIT-ELLE ?

L'affaire des pierres volées

Comme chaque année au mois d'août, c'est la fête au centre-ville. Tous les commerçants font tirer des prix et distribuent de la nourriture gratuite. Oeil-de-lynx, Annie et sa petite soeur Lucie essaient de se frayer un passage sur le trottoir où la foule déambule gaiement sous le chaud soleil de fin d'été.

— Voilà le *f*tand à hot-dogs ! s'écrie Lucie.

Elle adresse à Oeil-de-lynx et Annie un sourire édenté et court vers l'objet de sa convoitise, ses cheveux blonds se balançant au rythme de sa course.

— Quand elle aperçoit un casse-croûte gratuit, constate Annie en suivant sa jeune soeur, elle a les yeux presque aussi grands que *ta* panse.

— Ha, ha, très drôle ! commente Oeil-de-lynx.

Ils poursuivent leur promenade au milieu de la cohue. En passant devant les immenses portes de verre du Mail des Bois, groupe de boutiques aménagées dans une ancienne salle d'exposition de voitures, Oeil-de-lynx aperçoit leur ami, le sergent Duflair. Celui-ci fait souvent appel aux jeunes détectives lorsqu'une affaire lui donne du fil à retordre.

— Voilà le sergent, dit Oeil-de-lynx. On dirait qu'il y a eu du grabuge à la bijouterie.

— Oui, allons voir, propose Annie. Attends. Vas-y d'abord. J'avertis Lucie et je te rejoins.

Oeil-de-lynx pénètre dans le Mail des Bois et se dirige vers la bijouterie. Bien qu'occupant peu d'espace, cette boutique présente un étalage impressionnant de pierres précieuses et de cadeaux rutilants.

— Salut, Sergent ! Quoi de neuf ?

Le sergent Duflair se retourne vers Oeil-de-lynx, l'air préoccupé.

— Oeil-de-lynx ! Quelle chance que tu sois là !

— Pourquoi ? Qu'est-ce qui est arrivé ?

— Le propriétaire, monsieur Lapierre, nous a appelés ce matin pour rapporter un cambriolage, murmure le sergent en se penchant sur le comptoir.

— Il y a eu effraction ? demande Oeil-de-lynx, parcourant déjà le magasin des yeux.

Le sergent jette un regard par-dessus son épaule pour s'assurer que monsieur Lapierre n'écoute pas, puis il baisse encore la voix avant de poursuivre :

— Aucun signe d'effraction. Pas de serrure forcée, pas de fenêtre brisée. C'est bizarre.

— Et qu'est-ce qu'il manque ? chuchote Oeil-de-lynx en remontant ses lunettes sur son nez.

Le sergent Duflair désigne une vitrine au fond du magasin.

— La moitié d'une collection là-bas. Des pierres brutes, qui n'ont pas encore été travaillées. J'imagine qu'elles devaient faire partie d'un étalage spécial. Monsieur Lapierre prétend qu'on lui a pris pour plus de quarante mille dollars de marchandises, ajoute-t-il.

— Wow ! fait Oeil-de-lynx en regardant autour de lui. Et qui avait les clés du magasin ?

— Personne d'autre que monsieur Lapierre.

— C'est plutôt louche, non ?

Le sergent Duflair se penche et lui murmure à l'oreille :

— Tu as raison. Monsieur Lapierre a peut-être simulé le cambriolage pour toucher une grosse indemnité d'assurance.

— Oui, mais il faut des preuves.

— Exact, acquiesce le sergent avec un hochement de tête. Pourrais-tu jeter un coup d'oeil alentour pour voir si tu ne découvrirais pas quelque chose ?

Annie arrive sur ces entrefaites.

— Lucie est à côté, à la chocolaterie. Elle assiste au trempage des chocolats. Elle va avoir l'estomac à l'envers, ce soir, je ne vous dis que ça. Des hot-dogs, de la crème glacée et maintenant du chocolat. Hé, ça sent même jusqu'ici, constate-t-elle en retroussant son nez piqueté de taches de rousseur. Mais qu'est-ce qui se passe donc ?

— Il y a eu un cambriolage, lui explique Oeil-de-lynx d'un ton suffisamment haut pour que le propriétaire du magasin l'entende. On a volé la moitié de la collection de pierres brutes de monsieur Lapierre pendant la nuit.

Faisant un clin d'oeil à Annie, le sergent Duflair se redresse tandis qu'Oeil-de-lynx, à voix basse, met rapidement Annie au courant de leurs soupçons.

— Bon, on devrait d'abord voir si le voleur a laissé des indices, suggère-t-elle.

Pendant que le sergent Duflair explique à monsieur Lapierre qui sont ses assistants, ces derniers font le tour du magasin. Oeil-de-lynx scrute l'énorme porte vitrée dont la volumineuse serrure de cuivre ne montre pas la moindre égratignure.

— Psitt ! appelle Annie le plus discrètement possible pour ne pas attirer l'attention de monsieur Lapierre. Viens voir ce que j'ai trouvé.

Mine de rien, Oeil-de-lynx s'approche d'elle. Par terre, derrière le comptoir, se trouve une boîte de carton à l'intérieur de laquelle gît un objet brillant. Voyant que monsieur Lapierre entraîne le sergent dans l'arrière-boutique, Oeil-de-lynx en profite pour se glisser de l'autre côté du comptoir. Le jeune détective s'accroupit près de la boîte.

— C'est juste une bouteille de boisson gazeuse brisée, murmure-t-il, dépité.

— Mince ! Il doit bien y avoir un indice quelque part. Fais donc un croquis du magasin. Ça nous aidera peut-être à trouver quelque chose.

Oeil-de-lynx sort son bloc à dessins et reproduit la bijouterie et ses étalages en quelques coups de crayon. Pendant qu'il dessine, une étrange impression s'empare de lui. Il sent que quelque chose devrait déjà lui mettre la puce à l'oreille, lui donner la clé de l'énigme, mais il n'arrive pas à mettre le doigt dessus. Il s'arrête soudain de dessiner et s'exclame :

— J'y suis ! J'ai compris ce qui s'est passé et je crois même savoir où sont les pierres précieuses !

Oeil-de-lynx sent que quelque chose devrait déjà lui donner la clé de l'énigme, mais il n'arrive pas à mettre le doigt dessus.

QUI A VOLÉ LES PIERRES PRÉCIEUSES ET OÙ SONT-ELLES ?

Le pirate
du concert rock

— Oh ! là là, quelle foule ! s'exclame Oeil-de-lynx au moment où l'auto-patrouille contourne la salle de concert municipale.

Affublé d'un habit à carreaux aux couleurs criardes et d'une perruque pourpre dans lesquels il s'imagine avoir l'air d'un fan de musique rock, le sergent Duflair va se garer derrière l'établissement.

— Ces concerts d'été sont vraiment pris d'assaut, constate Annie en sortant de la voiture.

Pour l'occasion, elle porte une mini-jupe verte et un haut rayé vert et blanc.

— Vous vous rendez compte, c'est complet ! Il n'y a même pas une seule place debout. Il y en a qui doivent faire des affaires d'or.

— Au moins, c'est de l'argent gagné honnêtement, observe le sergent en réajustant sa perruque.
Par contre, celui qui a le culot de venir pirater
l'enregistrement de ce concert n'est rien d'autre
qu'un filou.

Le sergent Duflair a reçu un tuyau à l'effet qu'un
pirate va tenter d'enregistrer le concert du groupe
Énergik et distribuer la bande en fraude.

— Ces gens-là m'écoeurent, déclare Oeil-de-lynx.

— Et comment, approuve Annie. Ils vivent, en
somme, comme des parasites, au crochet des autres
qui travaillent honnêtement.

— C'est vrai, confirme le sergent. En tout cas,
espérons que nous allons pouvoir l'attraper et lui
donner une bonne leçon.

Tout en tirant sur son costume étriqué, le sergent
Duflair entraîne ses deux amis vers une porte à
l'arrière de l'immeuble. Un gardien costaud, sans
uniforme, leur barre la route.

— On n'entre pas par ici, m'sieu dame, leur dit-il.

— Allons donc, mon ami, déclare le sergent d'un
ton aimable, je suis le sergent Duflair du Service de
police de Coteau-des-Bois.

— Et moi je suis le Père Noël, ironise le gardien.

— Mais c'est la vérité, insiste le sergent, en tapo-
tant son costume à la recherche de son insigne. C'est
un déguisement, vous comprenez et... je vais vous
montrer mon insigne. Voyons... je l'ai ici... quelque
part.

— Hé, Sergent, chuchote Oeil-de-lynx. Sous le
revers de votre veste. Je vois une bosse.

— Oh ! évidemment, dit le sergent tout penaud.
Merci, Oeil-de-lynx, tes yeux perçants ont encore
sauvé la situation.

Le policier se tourne vers le gardien et exhibe son insigne. Puis après s'être raclé la gorge, il lui annonce d'un air important :

— Je suis en devoir et le directeur de la salle de concert m'a donné rendez-vous dans les coulisses. Ces deux jeunes sont mes assistants.

— Excusez-moi, sergent Duflair, bafouille le gardien, mais vous avouerez que vous ne ressemblez guère à un flic.

— C'est justement le but du déguisement, figurez-vous.

Le gardien les conduit dans les coulisses. Oeil-de-lynx et Annie restent cloués sur place en reconnaissant certaines de leurs vedettes préférées qui se détendent avant le concert.

— On ira leur demander des autographes tout à l'heure, murmure la jeune détective, béate d'admiration.

— Bon, voici comment nous allons procéder, explique le sergent à voix basse. Je veux que vous vous postiez de l'autre côté de la scène, derrière le rideau. Vous observerez bien les premières rangées. Le pirate, s'il est ici, devra se tenir tout près de la scène s'il veut obtenir une bande de bonne qualité.

Tout en fouillant dans ses poches, il ajoute :

— À propos, comment trouvez-vous mon déguisement ?

— Vous avez franchement l'air un peu punk, lui répond Oeil-de-lynx.

— Oui, surtout avec cette tignasse pourpre, renchérit Annie. Incidemment, saviez-vous que ce n'est pas un groupe punk, mais bien un groupe rock, qui joue ici ce soir ?

— Il y a une différence ? s'étonne le sergent, comme tombant des nues. Eh bien, tant pis. Le principal, c'est que je n'aie pas l'air d'un flic. Ah ! voilà, je l'ai enfin trouvée, ajoute-t-il en sortant de sa poche une petite boîte en métal munie d'un crochet sur le côté.

— C'est un avertisseur silencieux, explique-t-il en le tendant à Annie. Glisse-le dans ta poche de jupe. Si tu as besoin de moi, tu as juste à presser ce bouton. Ça fera vibrer mon avertisseur. Comme ça, pas de bruit... Compris ?

— Compris, répond Oeil-de-lynx. Si on a besoin de vous, on émet une vibration et vous la recevez.

Le sergent demeure perplexe un moment, puis il se met à rire :

— Eh bien oui, c'est tout à fait ça. Vous m'envoyez une vibration et je la reçois.

Annie lève les yeux au ciel.

— Vous êtes sûr que vous ne voulez pas que l'un de nous reste avec vous ? Bon, alors, allons-y, Oeil-de-lynx.

Les deux amis traversent la scène. De leur point d'observation, ils ont une vue sur toute la salle.

— En tout cas, je ne vois rien qui ressemble à un magnétophone, constate Annie en scrutant l'assistance.

— Moi non plus, répond Oeil-de-lynx en sortant son bloc à dessins de sa poche. Peut-être qu'un croquis pourrait nous aider. Mais ça ne va pas être facile, les gens n'arrêtent pas de bouger.

Il se met à l'oeuvre, esquissant le plus de spectateurs possible, à la recherche d'une personne à l'attitude bizarre ou transportant avec elle un sac ou une bourse d'aspect inusité. En quelques minutes, il a reproduit tous les détails de la scène sous ses yeux.

— *Peut-être qu'un croquis pourrait nous aider. Mais ça ne va pas être facile, murmure Oeil-de-lynx.*

Puis, arrive le moment où les lumières baissent graduellement. L'hystérie s'empare alors des fans qui se mettent à hurler.

— C'est maintenant que l'affaire se corse, remarque Annie. Bon sang ! Où il est, ce pirate ?

Soudain, Oeil-de-lynx remarque un détail incongru dans son dessin :

— Il est juste ici ! s'exclame-t-il, le doigt sur son croquis. Annie, vite, envoie un signal au sergent. On le tient, ce pirate !

OÙ EST LE PIRATE ? COMMENT VA-T-IL S'Y PRENDRE POUR ENREGISTRER LE CONCERT ?

Le mystère des empreintes géantes

— Hé ! Oeil-de-lynx ! crie Annie du vestibule où elle enlève ses bottes. Est-ce que tu as découpé le coupon de participation dans le journal d'aujour-d'hui ?

— Un coupon de participation ? s'étonne Oeil-de-lynx tout en bâillant à s'en décrocher la mâ-choire. Quel coupon de participation ?

— Celui pour le concours de Noël organisé par le journal, explique Annie en arrivant à la cuisine où elle salue La Fouine, la retriever blonde d'Oeil-de-lynx, d'une longue caresse. Le *Courrier de Coteau-des-Bois* va distribuer dix paires de skis de fond, mais pour participer au tirage, il faut avoir un de leurs coupons de participation officiels. Et Lucie a été plus rapide que moi ce matin. C'est elle qui a pris le journal.

— Lucie s'est levée avant toi ? fait Oeil-de-lynx, incrédule. Un samedi ?

— Faut croire, puisque le coupon était déjà déchiré quand j'ai pris le journal sur le pas de la porte.

Annie lève les yeux au ciel :

— Dire qu'elle a eu le culot de faire semblant de dormir, après ça !

— Viens, La Fouine, dit Oeil-de-lynx en se dirigeant vers la porte d'entrée. On va chercher le journal. Je pourrai peut-être gagner des skis.

— Bonjour, Annie, salue madame Colin qui entre au même moment dans la cuisine. Aimerais-tu prendre le déjeuner avec nous ? ajoute-t-elle en se servant une tasse de café. Je vais faire des crêpes.

— Miam ! Des crêpes ! Avec plaisir, répond Annie en se léchant les babines.

La Fouine revient bientôt à la cuisine, le journal dans la gueule et Oeil-de-lynx sur les talons. La chienne n'accepte de donner le journal à son maître qu'en échange d'un biscuit.

— La Fouine, tu ne penses à rien d'autre qu'à ton estomac, observe Oeil-de-lynx.

Tout en sortant la pâte à crêpes du réfrigérateur, madame Colin plaisante :

— Maintenant, je sais de qui tu tiens, Oeil-de-lynx.

— Maman ! s'indigne Oeil-de-lynx.

Puis, il commence à feuilleter le journal recouvert de neige, page par page. Soudain, il s'arrête net :

— Hé ! le coupon de participation de notre journal aussi est déchiré !

— Lucie n'est quand même pas si rapide que ça.

Elle n'aurait pas pu sortir pour venir te chiper ton coupon.

— C'est bizarre, observe madame Colin en versant la pâte à crêpe sur la plaque. Qui aurait bien pu faire une chose pareille ?

— Sûrement quelqu'un comme ce Macho Toupin, bougonne Oeil-de-lynx.

— Macho Toupin ? Qui est-ce ? demande la mère d'Oeil-de-lynx.

— Un fier-à-bras qui ne peut supporter de perdre, répond Annie en rejetant ses cheveux en arrière. C'est le colosse de l'école et il excelle dans tous les sports, mais il déteste perdre. Une vraie brute.

Mais voilà que les crêpes sont prêtes; les deux amis s'attablent devant une pile de galettes dorées.

— Macho Toupin, répète madame Colin en posant une bouteille de sirop d'érable sur la table. Ce n'est pas lui qu'on a pris en train de voler du bois, à la maison en construction au bout de la rue ?

— Lui-même, répond Oeil-de-lynx, la bouche pleine, il s'attire toujours des ennuis.

La sonnerie du téléphone interrompt la conversation. Oeil-de-lynx répond, écoute un moment, hoche la tête, grommelle quelques mots puis raccroche.

— L'affaire se corse ! annonce-t-il en se retournant vers Annie et madame Colin. Figurez-vous qu'on a pris aussi le coupon de participation de Manon. Et elle a ajouté que les coupons de tous les journaux de notre rue ont été déchirés. Je lui ai dit que nous allions venir tout de suite.

— Toute la rue ! s'exclame Annie.

— Elle dit que les voisins ont d'abord soupçonné Claude Ferland, le camelot, puisque c'est sa route de livraison, explique Oeil-de-lynx. Mais ensuite, ils ont découvert des empreintes géantes devant chaque maison.

— Des empreintes géantes ? répète Annie en avalant tout rond sa dernière crêpe. On ferait mieux de se dépêcher, conclut-elle en saisissant son anorak.

— Oeil-de-lynx ! N'oublie pas de ranger les plats dans le lave-vaisselle avant de partir. Ces empreintes ne vont quand même pas se volatiliser !

— Oh ! maman, gémit-il, pas maintenant. Je le ferai dès que je rentrerai. Promis.

Mais sa mère demeure imperturbable.

— Maintenant ! insiste-t-elle. J'attends des clients qui viennent discuter de l'achat d'une maison et je ne veux pas d'une cuisine pleine de vaisselle sale.

— Bon, d'accord, soupire Oeil-de-lynx.

Chaussé d'une seule botte, il retourne à la cuisine clopin-clopant. Avec l'aide de son amie, il remplit le lave-vaisselle en un temps record. Puis, après avoir donné deux ou trois coups de torchon sur le comptoir, il chausse sa seconde botte en vitesse, et le voilà dehors.

— Bonne chance ! lance madame Colin, au moment où nos deux amis dégringolent les marches enneigées.

— Et merci pour les crêpes ! crie Annie en retour par-dessus son épaule. Maintenant je suis d'attaque.

Oeil-de-lynx et Annie trouvent Manon et son amie Aline en grande conversation avec Claude Ferland, le livreur de journaux. Claude est en train de leur donner sa propre version des faits :

— Je vous parie que c'est un coup de Macho Toupin. Je savais que quelqu'un me suivait ce matin. Chaque fois que je tournais le dos pour glisser le journal dans la porte, j'entendais un bruit. Et à deux reprises, j'ai aperçu un grand gars derrière moi. Il faisait tellement sombre que je ne suis pas sûr à cent pour cent, mais je vous parie que c'était Macho.

— Est-ce que tu mets toujours le journal dans la porte ? demande Oeil-de-lynx.

— Bien sûr, c'est comme ça que je m'attire des pourboires, affirme Claude avec un sourire.

— Et qu'est-ce qui te fait croire que c'est Macho qui a fait le coup ? questionne à son tour Annie.

— Ben, il est tellement brute et si mauvais perdant. Et puis, regardez les empreintes, ajoute-t-il en montrant les marches de la maison de Manon. Elles sont énormes !

— Pour le moment, c'est la seule preuve que nous ayons, conclut Oeil-de-lynx.

Il sort son bloc à dessins et commence à croquer la scène.

— Est-ce que quelque chose te semble louche ? murmure Annie, penchée par-dessus l'épaule de son ami.

— Oui, mais je ne suis pas encore certain de ce que c'est. Est-ce que ces empreintes géantes sont les mêmes que celles devant chez toi ? demande-t-il à Aline.

— Elles sont identiques, confirme cette dernière.

— Est-ce que quelqu'un d'autre que toi est sorti de ta maison ce matin ? demande Annie à Manon.

— Non, je suis la seule à être sortie; regarde ici, ce sont mes traces de pas, précise-t-elle en les montrant sur le dessin d'Oeil-de-lynx.

Oeil-de-lynx termine son croquis en deux temps trois mouvements. Après l'avoir brièvement étudié, Annie sursaute et donne un coup de coude à Oeil-de-lynx.

— J'ai compris ! Je sais qui a volé les coupons de participation !

— *Est-ce que ces empreintes géantes sont les mêmes que celles devant chez toi ?* demande Oeil-de-lynx à Aline.

QUI A ENLEVÉ LES COUPONS DE PARTICIPATION DES JOURNAUX ?

Le pillage de la caisse scolaire

— Hé, Annie, tu viens manger ? Il ne reste plus grand temps pour dîner.

Tous les autres élèves sont déjà rendus à la cafétéria, mais Oeil-de-lynx et Annie sont restés plus longtemps dans la classe pour discuter avec leur professeur, monsieur Boyer, de leur voyage de classe à Ottawa.

Livres sous le bras, ils se dirigent vers leurs casiers. À un tournant du corridor, Annie s'arrête net; tirant son ami par la manche, elle l'entraîne dans le coin.

— Chut ! murmure-t-elle en risquant un oeil. Regarde là-bas.

À l'autre bout du couloir, un individu se glisse à pas feutrés hors du secrétariat de l'école. Refermant la porte sans bruit, il jette un coup d'oeil furtif autour de lui. Puis, certain de ne pas avoir été vu, il part au triple galop et sort de l'école par la porte latérale.

Oeil-de-lynx et Annie se regardent, étonnés.

— Qu'est-ce que ce type faisait là-dedans ? s'interroge Oeil-de-lynx. Le secrétariat est toujours fermé à clé à l'heure du midi.

— C'est vrai, répond Annie, et *jamais* madame Cloutier ne raterait son dîner. Et moi non plus d'ailleurs, conclut-elle avec un haussement d'épaules.

Une idée traverse l'esprit d'Oeil-de-lynx et ses yeux bleus s'écarquillent.

— Et si ce type avait volé l'argent que nous avons amassé pour notre voyage à Ottawa ?

Annie reste un instant figée sur place, puis s'élance en criant :

— Rattrapons-le !

— Allons-y, dit Oeil-de-lynx qui échappe ses livres en lui emboîtant le pas, mais gare à nous si on nous prend à quitter l'immeuble à l'heure du dîner.

Les deux détectives se précipitent vers la porte latérale. Ils hésitent un instant, s'assurent qu'il n'y a aucun professeur dans les parages puis sortent en trombe. À peine ont-ils fait quelques pas dehors qu'ils se rendent compte que l'homme a disparu.

— Où peut-il être allé ? demande Oeil-de-lynx en scrutant les terrains déserts de l'école.

— Nous l'avons perdu, constate Annie, dépitée. Non, attends... Regarde là-bas ! dit-elle en indiquant la haie qui borde le stationnement.

— On va être à découvert. Il va falloir courir. Essayons de rester courbés.

Accroupis, le coeur battant, ils traversent la pelouse en flèche. Agenouillés près de la haie, ils écartent un peu les branches et voient l'inconnu monter dans une voiture brune.

— La plaque d'immatriculation ! dit Oeil-de-lynx à son amie.

Tous les deux fixent le numéro, répètent comme une litanie les lettres et les chiffres qui le composent et le savent déjà par coeur lorsque la voiture file à pleins gaz hors du stationnement.

Annie répète une dernière fois le numéro d'immatriculation et revient au pas de course vers l'école.

— Allez, on va voir s'il manque quelque chose dans le bureau, propose-t-elle.

Malheureusement pour eux, leur fugue n'est pas passée inaperçue. Et voilà qu'en arrivant à la porte, ils tombent nez à nez avec madame Cloutier, la secrétaire de l'école, qui les attend de pied ferme :

— Hé, vous deux, qu'est-ce que vous faites dehors à l'heure du dîner ? questionne l'élégante dame aux cheveux grisonnants. Vous feriez mieux de rentrer avant que je ne décide de sévir.

Annie enchaîne aussitôt :

— Nous avons vu un homme sortir de votre bureau et nous l'avons pris en filature.

— Et il vient tout juste de quitter le stationnement, ajoute Oeil-de-lynx.

Madame Cloutier se porte la main à la bouche :

— Oh non ! L'argent de votre voyage de classe était sur mon bureau !

Ils se précipitent vers le secrétariat dont ils trouvent la porte déverrouillée.

— Je suis pourtant certaine d'avoir fermé à clé, dit la secrétaire qui devient livide. Oh ! mon Dieu, je suis responsable de cette caisse ! Elle contient plus de deux mille dollars.

Elle se rue vers son bureau, talonnée de près par les deux détectives, et elle ouvre la caisse.

— Tout est là ! constate-t-elle, soulagée. Dieu merci. C'est que j'ai vraiment eu peur, vous savez.

— Je me demande quand même ce que ce type faisait ici, dit Annie, perplexe. Est-ce qu'il manque de l'argent ?

— Je ne crois pas, répond la secrétaire. Mais je ferais mieux de compter par acquit de conscience.

— Attendez, intervient Oeil-de-lynx en sortant son bloc à dessins, je vais d'abord esquisser un croquis au cas où ça nous donnerait des indices. Ce ne sera pas long.

Madame Cloutier examine les lieux, tandis que le crayon d'Oeil-de-lynx glisse agilement sur la feuille.

— Vous savez, reprend la secrétaire, on dirait que tout sur ce bureau a été légèrement déplacé. Pourtant, il semble qu'il ne manque rien. Quel soulagement !

— C'est tout de même curieux, observe Annie. Cet individu avait un comportement tellement bizarre — sans parler de votre porte qui n'était pas fermée à clé...

— Bon, dit Oeil-de-lynx en posant son bloc et son crayon, vous pouvez compter l'argent maintenant, madame Cloutier. Pendant ce temps, Annie, on pourrait regarder mon dessin de plus près.

Avant même que la secrétaire ait fini de compter l'argent, Oeil-de-lynx remarque un détail qui lui coupe le souffle.

— Hé ! Ce type nous a bel et bien volés ! C'est un délit grave. Nous ferions mieux de prévenir le sergent Duflair tout de suite.

Avant même que la secrétaire ait fini de compter l'argent, Oeil-de-lynx remarque un détail qui lui coupe le souffle.

COMMENT OEIL-DE-LYNX SAIT-IL QUE L'HOMME LES A VOLÉS ?

LE MYSTÈRE DU

prince disparu

PREMIER ÉPISODE
LE ROYAUME HANTÉ

Le Royaume hanté

Oeil-de-lynx et Annie peuvent difficilement tenir en place. Les voilà réellement en Floride, au fameux parc d'amusement Funworld.

— C'est fantastique, madame de Pluquebeurre, s'extasie Annie, les yeux ronds comme des billes. Je n'arrive pas à croire que vous nous avez emmenés ici.

— Que j'ai hâte ! s'exclame Oeil-de-lynx en regardant les manèges tournoyer non loin d'eux.

Une brise légère effleure les cheveux argentés de la vieille dame.

— À vrai dire, répond-elle, c'est moi qui suis contente que vous soyez ici. Ce petit voyage est pour moi la façon idéale de vous remercier d'avoir récupéré le trésor égyptien de grand-papa. Et de plus, je dois assister à une réunion sur les pierres et les antiquités méditerranéennes.

Une longue limousine blanche au métal étincelant vient s'arrêter devant l'hôtel.

— Ah, voilà ma voiture, annonce madame de Pluquebeurre en se coiffant de son canotier à larges bords. J'aimerais bien vous accompagner à Funworld ce matin, mais je donne une conférence sur une de mes expéditions dans les ruines de la Méditerranée. Après quoi je dîne avec le roi de Madagala, qui est de passage ici pour exposer certains des fabuleux bijoux de son pays.

— Un roi ! Eh bien, dites donc ! s'émerveille Oeil-de-lynx.

— Vous viendrez avec nous demain, promis ? demande Annie. On va bien s'amuser.

— C'est promis. J'adore les montagnes russes. Alors, passez une belle journée, recommande la vieille dame en se dirigeant vers sa limousine.

Les deux amis se regardent en riant :

— Comptez sur nous ! répondent-ils en choeur.

L'entrée du parc d'amusement se trouve juste à côté de l'hôtel. Ne pouvant se retenir plus longtemps, les deux copains courent vers le portail magique de Funworld dont ils voient les tours s'élancer vers le ciel au-dessus des palmiers. À l'intérieur, tout n'est que rires joyeux et conversations animées; des fleurs aux couleurs vives poussent un peu partout.

— Regarde, Annie, voilà l'attraction que Justin nous a tant vantée, le Royaume hanté.

Devant eux se dresse une énorme montagne criblée de cavernes, que domine un imposant manoir appelé Maison des Fantômes, qui a la réputation d'héberger les esprits les plus effrayants du monde. Pour s'y rendre, il faut utiliser un genre de montagnes russes circulant à travers le Tunnel des Chauve-souris et la Grotte des Horreurs.

— Oeil-de-lynx ! Viens ! C'est extra ! s'enthousiasme Annie. Tiens, voilà le Laryrinthe de Miroirs ! On essaiera ça tout de suite après le Royaume hanté, d'accord ?

Juste au moment où Annie s'élance vers la montagne, un garçon aux cheveux noirs frisés la heurte de plein fouet. La force de la collision lui arrache un grognement de surprise.

— Je suis désolé, s'excuse le jeune garçon qui doit avoir une douzaine d'années, tout comme les jeunes détectives.

Il parle avec un accent étranger et ses grands yeux noirs trahissent la crainte.

— C'est que... Pourriez-vous faire semblant de me connaître ? dit-il enfin après avoir jeté un regard inquiet derrière lui. Faire comme si vous étiez mes amis ? ajoute-t-il, de plus en plus nerveux.

— As-tu des problèmes ? demande Oeil-de-lynx.

— Oui, voyez ces deux hommes à la peau basanée, là-bas; eh bien, ils sont à mes trousses.

Et il leur indique deux solides gaillards à la mine pas trop rassurante, qui semblent être venus au parc d'amusement dans une intention tout autre que de s'amuser. Un des hommes porte une moustache noire. L'autre, plus trapu, a les cheveux gris.

— Où sont tes parents ? s'enquiert Annie.

— Ma mère est chez moi et mon père à une réunion quelconque. Est-ce que je peux venir avec vous, s'il vous plaît ? implore le jeune étranger après avoir de nouveau regardé les deux hommes. Je m'appelle Umberto.

— Bien sûr. Pourquoi pas ? Je suis Oeil-de-lynx.

— Et moi, Annie. Viens, nous allions justement entrer au Royaume hanté.

Oeil-de-lynx aperçoit un journal sur un banc.

— Tiens, tu vas te cacher derrière, dit-il en s'en emparant. On sèmera ces deux types pendant la randonnée en montagnes russes.

Oeil-de-lynx tient le journal ouvert comme s'il le lisait et Umberto se dissimule derrière. À proximité du Royaume hanté, ils prennent leur élan et se faufilent à travers la cohue, dépassant des camelots et renversant presque sur leur chemin un énorme personnage déguisé en souris.

— Oh zut ! Ces deux types nous courent toujours après, constate Annie.

— On devrait peut-être aller à la police, suggère Oeil-de-lynx.

— Non, non, proteste Umberto. Pas la police. Je veux seulement leur échapper.

Umberto en tête, ils arrivent au Royaume hanté à l'instant même où une rame de huit voitures s'apprête à partir. Les trois dernières voitures sont vides.

Oeil-de-lynx et Annie franchissent la porte d'entrée au pas de course et sautent dans la première voiture inoccupée. Umberto s'installe dans le siège juste derrière eux. Quelques secondes plus tard, au moment où le convoi va démarrer, deux hommes grimpent dans la dernière voiture. Annie remarque que ce ne sont pas les poursuivants d'Umberto.

Oeil-de-lynx roule le journal comme pour en faire un bâton et se met à tapoter le bord de la voiture.

— Allons, qu'est-ce qu'on attend pour décoller d'ici ? s'impatiente-t-il.

La rame s'ébranle enfin; au même moment, les

deux gaillards à l'air rébarbatif s'amènent sur la plate-forme de départ.

— C'est très bien, se réjouit Umberto, avec, pour la première fois, un sourire aux lèvres. Nous leur avons échappé, ajoute-t-il en jouant avec une grosse chevalière suspendue à une chaîne autour de son cou.

— Ces types ont l'air de sinistres individus, remarque Oeil-de-lynx.

— À qui le dis-tu ? approuve Annie, tandis que les voitures prennent de la vitesse et abordent un virage. Hé, Umberto, tu es sûr que tu n'as pas de...

Avant qu'elle ait pu achever sa phrase, elle se retrouve dans l'obscurité totale et le monde semble se dérober sous ses pieds. Des cris fusent de toute part alors que les voitures s'enfoncent dans le Tunnel des Chauve-souris. Une nuée de ces mammifères ailés vient frôler les passagers juste avant la sortie du tunnel.

— J'espère que ce ne sont pas des vraies, crie Annie en se protégeant le visage contre cette invasion intempestive.

Un peu plus tard, à l'entrée de la Grotte des Horreurs, c'est une bande de monstres et de lutins qui les accueille. Des mains et des pattes se tendent vers eux et essaient de les attraper. Puis, ils pénètrent dans une salle couverte de cercueils béants d'où s'échappent des squelettes qui se mettent à flotter au-dessus de leur tête, au milieu des hurlements d'épouvante.

Au sortir de cette caverne, Oeil-de-lynx touche Annie avec son journal roulé.

— Hé, Annie, à ton avis, pourquoi ces types poursuivent-ils Umberto ?

— Je ne sais pas, répond Annie, mais chose certaine, il y a quelque chose de louche là-dessous.

La rame remonte maintenant en flèche vers la Maison des Fantômes. Toutes les voitures roulent soudain sens dessus dessous et les passagers poussent des cris stridents en s'accrochant à leur ceinture de sécurité.

Les voitures reviennent à leur position normale pour se retrouver, l'instant d'après, dans l'obscurité la plus complète. Puis, le convoi s'arrête pendant quelques secondes et des lumières tamisées s'allument petit à petit. C'est la Salle des Portes, un long couloir lugubre, flanqué de chaque côté d'une multitude de portes fermées.

C'est alors que des fantômes surgissent comme par magie des portes closes et flottent dans les airs à la rencontre des voitures. Les cris s'intensifient au fur et à mesure que les esprits s'approchent des passagers. Et pourtant, les fantômes passent à travers leur corps sans heurt aucun.

— Ahhh ! hurle Oeil-de-lynx en voyant un spectre le traverser de part en part. Un autre fonce vers lui à qui il lance son journal roulé.

— Mais comment font-ils ça ? crie-t-il.

— Ohhh ! glapit Annie en se cachant les yeux de ses mains. Avec des lasers, peut-être...

Derrière eux, Umberto pousse un long hurlement.

Puis, plus rien. Le tour est fini et les passagers épuisés accueillent avec soulagement la lumière du jour. Les voitures s'immobilisent près de la plate-forme.

— Hé, propose Oeil-de-lynx, si on recommençait ? Umberto, dit-il en se retournant, je t'ai entendu crier. Dis donc, je...

Sa voix s'évanouit. Umberto a disparu.

Annie se retourne d'un bond sur son siège.

— Qu'est-ce qui s'est passé ? Où est-il parti ?

— Regarde sa ceinture de sécurité ! s'exclame Oeil-de-lynx en étendant le bras jusque derrière le siège. On l'a coupée ! Quelqu'un lui a coupé sa ceinture de sécurité.

— Oh ! là là ! Et si les deux types qui le poursuivaient l'avaient attrapé ?

— On ferait mieux de se dépêcher. Ils l'ont peut-être kidnappé ou que sais-je.

— Tu as raison, Oeil-de-lynx, retournons à l'endroit où on l'a entendu crier. Viens !

Elle s'engouffre aussitôt dans le tunnel, suivie d'Oeil-de-lynx. À quelques mètres de l'entrée, ils trouvent une lampe de poche, s'en emparent et se font bientôt interpeller par un concert de voix :

— Hé, les enfants, revenez ici ! C'est dangereux là-dedans !

Mais les deux amis, ne pensant qu'à Umberto, font la sourde oreille.

— Plus vite, dit Oeil-de-lynx. Peut-être qu'on peut encore le rattraper et le sauver.

Les rails se prolongent droit devant eux et guident leur marche dans l'obscurité.

— Aïe ! gémit soudain Annie qui trébuche contre une traverse.

— On y est presque, affirme Oeil-de-lynx.

Ils abordent une courbe et arrivent à la Salle des Portes, là où ils ont entendu Umberto crier pour la dernière fois. Une grosse caméra et un appareil d'éclairage pendent du plafond noir.

— Je suis certaine d'avoir entendu Umberto crier, soutient Annie. C'était pendant que tous ces affreux machins nous volaient dessus. Les voitures étaient à l'arrêt, c'est probablement à ce moment-là qu'il s'est fait coincer.

— Si c'est bien ça qui est arrivé, mais nous n'en sommes pas sûrs, fait remarquer Oeil-de-lynx en sortant son calepin de la poche arrière de son pantalon. Ce que nous savons, cependant, c'est qu'Umberto était encore dans la voiture quand nous sommes passés ici. Écoute, tu cherches des indices et je fais un croquis.

— D'accord.

Annie se dirige vers le mur de portes qu'elle palpe attentivement :

— Hé ! s'étonne-t-elle, ce sont de fausses portes ! Elles sont seulement peintes.

Soudain, des voix et des bruits de pas se font entendre à l'intérieur même du tunnel.

— Quelqu'un vient, Oeil-de-lynx, chuchote Annie. Ils ont dû envoyer des gens à nos trousses.

Oeil-de-lynx dessine avec acharnement.

— Il doit pourtant y avoir un détail qui puisse nous mettre sur la piste, dit-il. Il faut trouver ce qui est arrivé à Umberto.

Annie remarque un tas de papier froissé.

— Tiens, Oeil-de-lynx, voilà le journal que tu as lancé hors de la voiture; regarde, il y a des taches de sang dessus.

Une photo à la une attire l'attention d'Annie.

— Hé, mais c'est Umberto ! Eh bien, ce n'est pas n'importe qui, ce gars-là ! Regarde cette photo, Oeil-de-lynx. L'article précise que le type à ses côtés, c'est son père, le roi de Madagala ! Tu sais, ce roi qui est ici pour exposer des bijoux.

— Ça veut dire qu'Umberto est le prince héritier. L'affaire est grave, Annie. J'ai presque terminé mon dessin. Après ça, on fait mieux d'aller à la police, et plus vite que ça !

Les bruits se rapprochent, s'amplifient et se répercutent à l'infini sur les parois de la pièce voûtée. Annie s'éloigne de quelques pas et scrute les ténèbres. Soudain, un individu surgit du tunnel.

— L'homme à la moustache ! murmure la jeune détective.

Elle s'apprête à faire demi-tour lorsqu'une grosse main s'abat pesamment sur son épaule par derrière.

— Oeil-de-lynx ! Je... je...

Regardant par-dessus son épaule, elle reconnaît l'homme trapu aux cheveux gris qui poursuivait Umberto un peu plus tôt. Il est arrivé par le tunnel opposé.

— Je... je... bredouille Annie en lançant des signes désespérés à Oeil-de-lynx, toujours absorbé par son dessin.

— Une petite minute, Annie, répond-il, les yeux rivés sur son croquis. Ça y est, j'ai compris ! Umberto a été kidnappé et je sais par où on l'a emmené !

— Oui, mais... mais... bafouille Annie, au comble de l'angoisse.

— Tiens, Annie, dit Oeil-de-lynx en se retournant, regarde bien ceci...

La surprise le cloue alors sur place. Les deux gaillards semblent prêts à leur sauter dessus.

PAR OÙ LES RAVISSEURS ONT-ILS EMMENÉ UMBERTO ?

— Umberto a été kidnappé et je sais par où on l'a emmené, dit Oeil-de-lynx.

SOLUTIONS

La ruse
des voleurs d'ordinateurs

Pendant qu'il dessinait, Oeil-de-lynx a remarqué, sur le sol, une photo semblable à celle parue dans le journal.

— L'un des cambrioleurs tenait la photo devant l'objectif de la caméra de télévision en circuit fermé pendant que les autres vidaient la salle, conclut Oeil-de-lynx. Ainsi, Jeff ne pouvait pas voir ce qui se passait dans l'entrepôt. Voilà pourquoi il ne s'est rendu compte de rien jusqu'au départ des voleurs.

Comme de fait, lorsque la police appréhende le journaliste, auteur de l'article sur le commerce de Steve, celui-ci reconnaît avoir pris la photo représentée sur le croquis d'Oeil-de-lynx. Il conduit ensuite les policiers au dépôt où se trouvent les ordinateurs volés. Ce reporter fait partie d'une bande dont les membres se pensent pas mal plus brillants qu'ils ne le sont en réalité.

En guise de remerciement, Steve donne à chacun des deux détectives un nouveau jeu d'ordinateur. Une seule fausse note dans cette affaire : la punition que doit subir Oeil-de-lynx en rentrant chez lui pour avoir manqué sa leçon de piano.

Le secret
de la broche en émeraudes

En examinant la broche sous un certain angle, Annie constate que les émeraudes sont disposées de façon à former le prénom « Anne ».

— Je pense que c'est parce qu'il ressemble à mon propre prénom qu'il m'a sauté aux yeux quand j'ai tourné l'écrin, ajoute la jeune détective.

— J'aurais dû me rappeler aussi que l'émeraude est ma pierre de naissance, enchaîne Anne. Comment ai-je pu l'oublier ? La broche est donc à moi. Mais, tu sais, Agnès, tu la porteras aussi souvent que tu voudras.

— Oh ! merci, ma chérie. Comme c'est gentil à toi.

Puis, se tournant vers Œil-de-lynx et Annie, elle leur dit avec un grand sourire :

— Votre aide nous a été vraiment précieuse. Vous avez réglé notre problème. Nous vous en serons toujours reconnaissantes.

— Oh ! ce n'est rien, répond Annie. Nous adorons résoudre des énigmes. N'hésitez pas à nous rappeler au besoin.

79

Le vol
de disques nouvelle vague

Annie a remarqué que l'horloge accrochée au mur indique onze heures dix; or, elle sait qu'il était midi quand son ami et elle sont arrivés au magasin.

— Quelqu'un a dû retarder l'horloge d'une heure pour que l'alarme ne s'enclenche pas à temps, explique-t-elle.

— Et ce quelqu'un, c'est sans doute le préposé à l'entretien, enchaîne Oeil-de-lynx. Thérèse a dit qu'il est venu hier pour accrocher les ballons et remplacer les ampoules du plafond. Il savait que Thérèse avait reçu une cargaison de disques nouvelle vague et il est le seul à avoir pu grimper jusque là-haut pour reculer l'horloge — pendant qu'il travaillait sur son échelle.

— Je parie qu'il s'est introduit ici hier soir moins d'une heure après ton départ, conclut Annie, et que c'est à ce moment-là qu'il a commis le vol.

Thérèse téléphone au sergent Dulfair qui, un peu plus tard, interroge le préposé à l'entretien. Ce dernier reconnaît sa culpabilité et restitue les disques sur-le-champ. Comme récompense pour avoir résolu l'énigme, Thérèse offre à chacun des jeunes détectives deux de leurs albums préférés.

L'escroquerie
du Michel-Ange

Le dessin de Michel-Ange se trouve dans la fourgonnette DE LA PÂTISSERIE LA CHARTREUSE. Annie s'approche du véhicule et touche les lettres du mot « PÂTISSERIE ». La peinture est fraîche.

— Ils ont changé le nom « ARTPLUS » en « PÂTISSERIE LA CHARTREUSE » avec de la peinture, explique Annie.

Elle saisit le crayon d'Oeil-de-lynx.

— Ils ont ajouté les mots « PÂTISSERIE » et « LA ». Puis, ils ont arrangé les lettres d'ART-PLUS. Regarde ce que j'ai mis en pointillé, c'est ça qu'ils ont ajouté.

De la cabine téléphonique la plus proche, ils appellent le sergent Duflair. Dès son arrivée, celui-ci fouille la fourgonnette et y retrouve le dessin. Il arrête les voleurs et rend l'oeuvre d'art à madame de Pluquebeurre.

La vieille dame est si contente qu'elle décide de faire également encadrer le croquis d'Oeil-de-lynx et de l'accrocher à côté du dessin de Michel-Ange, dans son salon privé.

L'affaire
des pierres volées

En examinant le croquis d'Oeil-de-lynx, on voit sur l'un des murs une bouche d'aération assez grande pour permettre à quelqu'un de s'y glisser.

— Pendant que j'étais en train de la dessiner, explique le jeune détective, je me suis soudainement rappelé l'odeur de chocolat que tu as remarquée tout à l'heure, Annie. J'ai donc compris que la bouche d'aération relie la chocolaterie à la bijouterie.

— Tu as raison, Oeil-de-lynx, enchaîne Annie. Ce qui veut dire que quelqu'un peut s'être introduit dans la bijouterie en passant par la bouche d'aération, sans toucher ni porte, ni fenêtre.

En effet, en examinant la bouche d'aération de plus près, ils se rendent compte qu'on y a touché. Le sergent Dulfair inspecte la chocolaterie et, grâce à une intuition d'Annie, il retrouve les pierres au fond d'un bac plein de chocolat de trempage.

Le chocolatier est si surpris de se voir démasqué qu'il avoue aussitôt son crime.

Après avoir bouclé le voleur, le sergent paie à Annie, Oeil-de-lynx et Lucie les plus grosses crèmes glacées en ville.

Le pirate
du concert rock

Debout dans les allées près du premier rang, Oeil-de-lynx remarque deux garçons avec une jambe dans le plâtre. Le coupable est l'un d'eux.

— Voyez celui-là, indique-t-il au sergent Dutflair; ce n'est pas comme ça qu'on se tient quand on a une jambe cassée.

— Tu as raison, Oeil-de-lynx, renchérit Annie en examinant le croquis. Lorsqu'on a vraiment une jambe cassée, on tient sa béquille du côté qui a besoin d'être soutenu, soit celui de la jambe cassée.

— Et ce type-là tient sa béquille du côté qui n'est pas malade, enchaîne Oeil-de-lynx. C'est lui, notre homme.

Le sergent Dutflair et le gardien de la salle de concert arrêtent le malfaiteur à la sortie du spectacle. Comme de fait, on découvre à l'intérieur de son plâtre des compartiments pleins de matériel d'enregistrement et de micros. Le garçon est conduit au poste de police où des accusations sont portées contre lui.

Le groupe Énergîk est si reconnaissant qu'il offre à Oeil-de-lynx et Annie un disque dédicacé et des billets de faveur à vie pour assister à ses concerts.

Le mystère
des empreintes géantes

Annie a remarqué qu'une seule paire de traces de pas va jusqu'à la maison. Or Claude a dit qu'il se rend jusqu'à chaque porte pour y glisser les journaux. Annie attire Oeil-de-lynx à part pour lui exposer son raisonnement.

— C'est Claude qui a dû voler les coupons de participation. Si c'était quelqu'un d'autre, il y aurait deux paires d'empreintes de la rue vers la maison. Les autres traces, les petites, sont celles de Manon lorsqu'elle est sortie de chez elle.

— Mais oui, tu as raison, Annie, approuve Oeil-de-lynx. Et ces empreintes sont énormes, mais la distance qui les sépare est courte. C'est comme si quelqu'un de petite taille, comme Claude, portait des grandes bottes mais ne pouvait faire, malgré tout, que des petits pas.

Voilà très exactement ce qui est arrivé. Oeil-de-lynx et Annie rejoignent Claude et lui font part de leurs conclusions. Le livreur de journaux avoue avoir volé les coupons de participation.

— Je voulais seulement gagner quelque chose, pour une fois, se justifie-t-il, la tête basse.

Claude rend tous les coupons de participation et s'excuse auprès de chaque famille. Et lors du tirage, Lucie, la soeur d'Annie, gagne une paire de skis.

89

Le pillage
de la caisse scolaire

Encore une fois, les yeux perçants du jeune détective ont repéré le détail insolite : la caisse a beau être pleine d'argent, les billets portent tous le même numéro de série. Or, Oeil-de-lynx sait pertinemment que chacun devrait avoir un numéro différent.

— Ces billets sont des faux, annonce-t-il à madame Cloutier. Ce type a pris l'argent de notre voyage et l'a remplacé par de faux billets, en espérant que ça passerait inaperçu.

Oeil-de-lynx et Annie téléphonent au sergent Dutilair et lui donnent le numéro d'immatriculation de la voiture du malfaiteur.

En moins d'une heure, le sergent Dutilair réussit à appréhender le voleur et à récupérer l'argent. Le voyage à Ottawa aura donc lieu comme prévu.

Le Royaume hanté

Oeil-de-lynx n'est pas encore revenu de sa surprise que l'un des hommes prend la parole.

— Bon, maintenant, les jeunes, vous allez nous dire à quel jeu vous jouez exactement.

— Hum, nous recherchons l'ami que nous avons perdu, répond Oeil-de-lynx.

— Perdu ? vocifère l'homme trapu. Vous avez perdu Umberto ?

Annie se gratte la tête, perplexe.

— Un instant ! s'emporte-t-elle. Et d'abord, qui êtes-vous donc ?

— Nous sommes ses gardes du corps, répond l'homme à la moustache.

— Eh bien, vous arrivez trop tard, dit Oeil-de-lynx. Umberto a été kidnappé. Mais je sais par où sont passés ses ravisseurs. Ils ont emprunté la porte du milieu, à droite sur mon dessin. En fait, c'est la seule porte de toute la salle. C'est en observant les poignées que j'ai compris : seule la poignée véritable produit une ombre, car elle fait saillie sur la paroi. Toutes les autres portes sont fausses, dessinées seulement à la peinture pour en créer l'illusion. Leurs poignées ne peuvent donc projeter aucune ombre.

— Allons-y ! crie Annie.

Oeil-de-lynx, Annie et les gardes du corps réussiront-ils à rattraper les ravisseurs et à sauver Umberto ? Ne manquez pas le prochain épisode de cette histoire dans le volume 6.

Sondage

Ami lecteur, amie lectrice,

Nous aimerions que tu nous dises ce que tu penses de ce livre afin de nous aider à produire d'autres récits de mystères. Après l'avoir lu, pourrais-tu prendre une feuille et répondre aux questions ci-dessous (n'oublie pas de numéroter tes réponses). S'il te plaît, n'écris pas dans le livre. Envoie ta feuille de réponses à l'adresse suivante:

LES ÉDITIONS HÉRITAGE/DÉTECTIVE-CLUB
300, rue ARRAN
SAINT-LAMBERT (QUÉBEC)
J4R 1K5

Nous te remercions beaucoup pour tes réponses; elles vont nous être d'une grande utilité.

1. Quel est le numéro de volume de ce livre ? (Regarde sur la page couverture).

2. Comment as-tu obtenu ce livre ? (Lis d'abord toutes les réponses puis choisis celle qui convient et écris la lettre correspondante sur ta feuille).
   2A. En cadeau.
   2B. D'une librairie.
   2C. D'un autre magasin.
   2D. D'une bibliothèque scolaire.
   2E. D'une bibliothèque publique.
   2F. Je l'ai emprunté d'un(e) ami(e).
   2G. D'une autre façon (comment ?).

3. Si tu as choisi ce livre toi-même, pourquoi l'as-tu choisi ? (Lis attentivement toutes les réponses, puis choisis celle que tu préfères et écris-la sur ta feuille).
   3A. J'aime les histoires à suspense.
   3B. La couverture était attrayante.
   3C. Le titre a attiré mon attention.
   3D. J'aime résoudre des énigmes.
   3E. Un(e) bibliothécaire m'a suggéré de le lire.
   3F. Un professeur me l'a recommandé.
   3G. Un(e) de mes ami(e)s l'avait aimé.
   3H. Les indices illustrés avaient l'air intéressants.
   3I. Oeil-de-lynx et Annie m'ont paru sympathiques.
   3J. Autre raison (laquelle ?).

4. As-tu aimé le livre ? (Écris le numéro de ton choix sur ta feuille).
   4A. Beaucoup aimé.   4B. Aimé.   4C. Incertain(e).   4D. Pas aimé.

5. As-tu aimé les indices illustrés ? (Écris le numéro de ton choix sur ta feuille).
   5A. Beaucoup aimé.   5B. Aimé.   5C. Incertain(e).   5D. Pas aimé.

6. Quelle histoire as-tu préférée ? Pourquoi ?

7. Quelle histoire as-tu le moins aimée ? Pourquoi ?

8. Si on t'invitait à modifier ce livre, quels changements suggérerais-tu ?

9. Aimerais-tu lire d'autres histoires avec Oeil-de-lynx et Annie ?

10. Aimerais-tu lire des histoires avec Oeil-de-lynx seulement ?

11. Aimerais-tu lire des histoires avec Annie seulement ?

12. Que préférerais-tu ? (Lis attentivement toutes les réponses, puis choisis celle qui correspond à ton choix et écris la lettre appropriée sur ta feuille).
    12A. Une longue histoire avec de nombreux indices illustrés.
    12B. Une longue histoire avec un seul indice illustré à la fin.
    12C. Une longue histoire sans indice illustré.
    12D. Un nécessaire de détective avec de vrais indices.
    12E. Un jeu vidéo de détective.
    12F. Un dessin animé de détective.
    12G. Une bande dessinée de détective.

13. Quel est ton personnage préféré dans le livre ? Pourquoi ?

14. Les énigmes sont-elles faciles ou difficiles à résoudre ? (Écris le numéro de ton choix sur ta feuille).
    14A. Trop faciles.   14B. Juste bien.   14C. Trop difficiles.

15. Le livre est-il facile ou difficile à lire et à comprendre ? (Écris le numéro de ton choix sur ta feuille).
    15A. Trop facile.   15B. Juste bien.   15C. Trop difficile.

16. As-tu déjà lu d'autres livres de la collection Détective-Club ? Combien ? Quels en sont les titres ?

17. Quel autre genre de livre aimes-tu ? (Tu peux citer des ouvrages qui ne sont pas des récits à suspense).

18. Quel âge as-tu ?

19. Es-tu un garçon ou une fille ?

20. Aimerais-tu qu'il existe un vrai Détective-Club ?

21. Quelle genre d'insigne du club proposerais-tu ? (Choisis ton préféré et écris le numéro correspondant sur ta feuille).
    21A. Carte de membre.
    21B. T-shirt.
    21C. Affiche.
    21D. Macaron.
    21E. Bloc à dessins.
    21F. Signet.

22. Achèterais-tu un autre volume de cette collection d'énigmes ?

ACHEVÉ   D'IMPRIMER
EN   MAI   1991
SUR LES PRESSES DE
PAYETTE & SIMMS INC.
À SAINT-LAMBERT, P.Q.